20 cuentos

ya LEO

Mágicos

Edición: Ana Doblado
Ilustraciones: Marifé González
Diseño, realización y cubierta: *delicado diseño*

© SUSAETA EDICIONES, S.A.
C/ Campezo, s/n - 28022 Madrid
Tel.: 913 009 100 - Fax: 913 009 118
www.susaeta.com

20 cuentos

ya LEO

Mágicos

susaeta

Índice

Caperucita Roja

En una pequeña aldea vivía Caperucita Roja con su madre. La llamaban así porque se cubría la cabeza con una capucha encarnada. Su abuela vivía al otro lado del bosque.

Un día su madre le dijo:

—Tienes que ir a casa de la abuelita, que está enferma, a llevarle unos pasteles y un tarro de miel.

Y allá se fue Caperucita cantando.

De pronto, se cruzó en su camino con el astuto y siempre hambriento lobo.

—¿Dónde vas, Caperucita? —preguntó.

—A casa de mi abuelita —dijo ella.

—Ah... ¿Y vive muy lejos?

—Al otro lado del bosque —contestó ingenuamente la niña.

Y dicho esto, cada uno se alejó por un sendero distinto. Pero el malvado lobo se dirigió a toda prisa a casa de la abuelita.

Como el lobo era más rápido que la niña, llegó antes que ella y llamó a la puerta.

—¿Quién llama? —preguntó la abuela desde la cama.

—Soy Caperucita —contestó el lobo imitando la voz de la niña.

—Pasa, cariño, la puerta está abierta.

Entonces, el lobo entró en la casa y se merendó a la abuelita de un bocado.

El lobo se puso un camisón y un gorro de la abuela y se metió en la cama a esperar a Caperucita.

—Toc, toc —llamaron a la puerta.

—¿Quién es? —preguntó el lobo con voz ronca.

—Soy Caperucita —dijo la niña.

—Pasa, nietecita, pasa…

—Qué ronca estás, abuelita.

—Es que estoy mala —disimuló el lobo.

Al llegar ante la cama, la niña se asustó del extraño aspecto de su abuela.

—Qué ojos tan grandes tienes, abuelita.

—Son para verte mejor —contestó el lobo imitando la voz de la abuela.

—Y qué orejas tan grandes tienes.

—Son para oírte mejor.

—Pero… y qué dientes tan afilados…

—¡Son para comerte mejor! —rugió el lobo mientras saltaba hacia Caperucita.

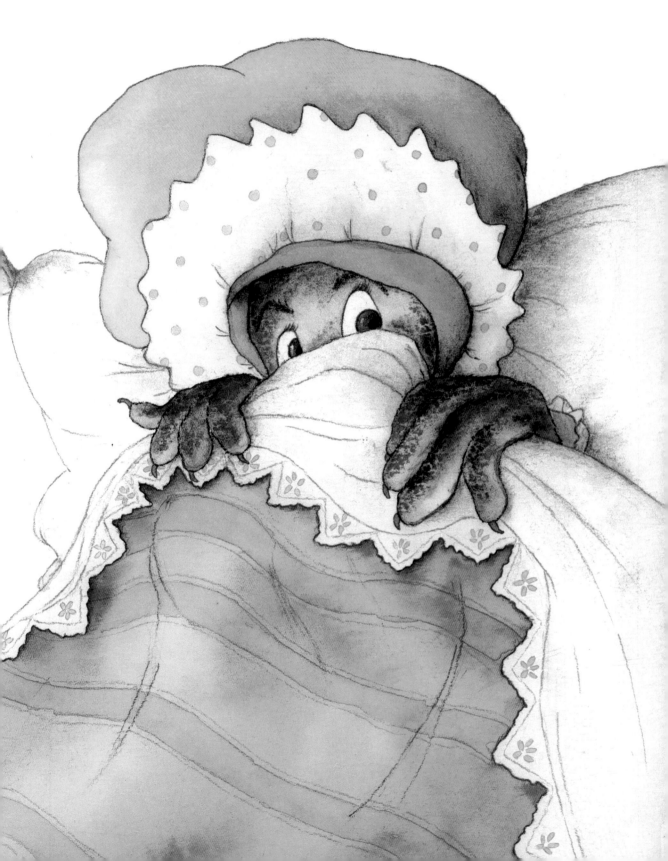

16

—¡Aaaaaaaaah! —gritó la niña huyendo
a todo correr hacia el bosque.

Los gritos de Caperucita
atrajeron a un cazador que,
viendo lo que sucedía, no dudó
en disparar contra el lobo hasta ver que
ya no movía el rabo.

Y cuentan algunos que le abrieron
la tripa a toda prisa con un cuchillo
y consiguieron sacar viva a la
abuela de Caperucita,
pues se la había
zampado sin masticar
ni nada.

Lo celebraron todos
juntos comiendo
dulces hasta hartarse.

Los cinco criados del príncipe

Había una vez una reina hechicera y cruel que tenía una hija muy bella. Con ella querían casarse muchos pretendientes, pero la reina les exigía:

—Quien supere las cuatro pruebas se casará con la princesa, y quien no lo consiga, morirá.

Un día, cierto príncipe conoció a la princesa y se enamoró locamente de ella. Al día siguiente se dirigió al Palacio Real.

Por el camino se encontró a un hombre inmensamente gordo.

—¿Os podría servir en algo? —dijo el hombre gordo.

—Sí, puedes ser mi criado —respondió el príncipe.

Andando y andando encontraron un hombre con la oreja pegada en la tierra.

—¿Qué haces ahí? —preguntó
el príncipe intrigado.

—Mi oído es tan fino que puedo
escuchar todo lo que se dice en el
mundo —contestó el extraño personaje.
El príncipe lo tomó a su servicio.

Avanzaron y vieron a un hombrecillo
que, a pesar de estar bajo un sol ardiente,
tiritaba de frío.

—¿Acaso estás enfermo? —preguntó
el príncipe extrañado.

—Es que mi cuerpo es muy especial
—respondió éste—: cuanto más calor
hace, más frío siento yo.

—Síguenos, te tomo a mi servicio.
Más tarde, se sumaron al grupo un
hombre muy muy alto y otro cuya mirada
podía atravesar bosques y montañas.

Cuando hubo conseguido sus cinco criados, el príncipe se presentó a la reina:

—Quiero casarme con vuestra hija.

—Antes te encomendaré cuatro pruebas: primero, encontrar un anillo en el mar Rojo.

El criado de la mirada penetrante localizó el anillo en el fondo del mar, el gordo se bebió el agua y el alto se agachó para cogerlo. Cuando el príncipe le entregó el anillo, la reina le dijo furiosa:

—La segunda prueba consiste en comer cien bueyes y beber cien odres de vino.

El príncipe llamó a su criado gordo,
que se lo comió todo sin dejar rastro.
La reina, muy contrariada, dijo:
—La tercera prueba consiste en
que hagas compañía a mi hija en tus
habitaciones y cuando yo regrese,
antes de las doce, deberá estar sana y salva.
Al anochecer, por un hechizo
de la soberana, se quedaron todos
dormidos y la princesa desapareció.
—¿Qué hago yo ahora? —dijo el
príncipe angustiado por haberla perdido.
—La estoy oyendo llorar en una roca
—dijo el criado del oído fino.
El criado alto fue hasta ella en dos
zancadas y, antes de las doce, la joven
princesa estaba de nuevo en la habitación
junto al príncipe.

Entonces la reina le dijo al joven:

—Ahora tienes que hacer una gran hoguera y encontrar a alguien que aguante dentro hasta que el fuego se extinga.

Se hizo una gran hoguera y el criado friolero estuvo dentro hasta que se consumió toda la madera.

El príncipe superó las cuatro pruebas y la princesa, muy feliz, se acercó a besarlo cariñosamente.

La reina no tuvo otro remedio que acceder a la boda y fueron siempre muy felices.

El patito feo

En una soleada mañana de primavera y en un rincón de la granja, se encontraba una pata incubando sus huevos. De pronto comenzaron a resquebrajarse los cascarones y aparecieron cinco lindos patitos que no cesaban de gritar: ¡cua, cua, cua!

—Son unos patitos preciosos —exclamó mamá pata.

Se marchaba la pata muy orgullosa, pero vio que aún quedaba un huevo sin abrir.

Entonces volvió al nido a seguir dando calor a aquel huevo tan grandote.

Cuando por fin se rompió el cascarón salió un pato flaco y desgarbado.

«¡Oh, qué feo es! ¿Será un pavo?», pensó la pata muy preocupada.

Se dirigieron a la acequia y allí se lanzaron al agua los seis patitos.

«¡Son todos hijos míos, no hay más que verlos nadar!», pensó mamá pata.

Aquella misma tarde fueron de visita al corral. Se formó un gran alboroto. Hubo risas, empujones, picotazos al ver al patito feo y desgarbado. Sin embargo, la madre le defendía diciendo:

—Aunque no es bonito, nada muy bien.

Pero los demás le insultaban. Cada día que pasaba las cosas iban peor. ¡Hasta sus hermanos se burlaban de él! ¡Pobre patito! Un día ya no resistió más; saltó la verja y abandonó la granja para siempre. Llegó caminando hasta un pantano, donde se encontró con unos patos silvestres que también le insultaron.

Muerto de miedo, se escondió entre los juncos y allí estuvo sin moverse varios días, hasta que dos gansos le descubrieron. Éstos le ofrecieron su amistad, que duró muy poco, porque mientras charlaban, unos cazadores les dispararon. Y el patito volvió a quedarse solo. Se escondió, tembloroso, para que los perros de caza no le descubrieran; cuando llegó la noche se alejó sin hacer el menor ruido.

Y andando y andando llegó a una pequeña casa de campo que estaba habitada por una anciana medio ciega, un gato y una lustrosa gallina.

La anciana pensó que era una pata
y que le daría deliciosos huevos; pero
pasadas tres semanas el patito tuvo que
abandonar la casa, porque todos decían
que no servía para nada.

Llegó el otoño y después el invierno,
y el patito seguía sin encontrar un hogar
donde guarecerse. Cuando estaba
a punto de morir de frío, un campesino
lo recogió y lo llevó a su
acogedora casa.

El patito hubiera estado allí
de maravilla, de no ser por
los dos hijos del campesino,
que eran muy traviesos y no

le dejaban tranquilo ni un momento. Un
día, le asustaron y derramó la leche, la
harina… En definitiva, armó tal estropicio
que la mujer del campesino le echó de casa.

Cuando llegó la primavera el patito
se encontraba muy débil y triste, pero los
rayos del sol le animaron y, como pudo,
echó a volar y llegó a un hermoso parque.

—¡Oh, qué lugar tan bonito! ¡Qué bien
huele el aire! ¡Qué aves tan bellas!
—exclamó emocionado al ver a unos
cisnes que nadaban majestuosamente en
las aguas de un lago. Sin pensárselo, se
acercó nadando hacia ellos.

Cuando estuvo a su lado, bajó la cabeza esperando sus picotazos, y vio su propia imagen reflejada en el agua. No lo podía creer. Ya no era el patito feo y desgarbado. ¡Se había convertido en un precioso cisne!

Los otros cisnes, al verlo, le acariciaron con sus picos y nadaron a su lado.

De pronto, aparecieron unos niños que les echaron pan y galletas en el agua. El más pequeño de los niños, al ver al nuevo cisne, comenzó a gritar:

—¡Hay un cisne nuevo y es el más bonito de todos!

El patito, mejor dicho, el majestuoso cisne, había conseguido por fin la felicidad al lado de los suyos.

31

Los tres cerditos

Una mañana de verano, de hace mucho tiempo, tres cerditos salieron de su casa en busca de fortuna.

Iban caminando y uno de ellos vio a un hombre con un carro de paja y le dijo:

—Buen hombre, ¿me darías paja suficiente para hacerme una casa?

—Toda la que necesites —le contestó.

Y dicho y hecho, en un par de horas había construido su casita de paja.

Habitaba por allí un lobo hambriento que fue a visitarle con no muy buenas intenciones. Llegó a la casa del cerdito y llamó a la puerta.

—¡Pom, pom, pom!

—¿Quién es? —preguntó el cerdito.

—Soy tu amigo el lobo. ¿Me dejas pasar? —dijo el astuto lobo.

—¡No, que me comerás! —respondió.

Pero el lobo sopló y resopló, la casa derribó y al cerdito se comió.

El segundo cerdito cogió un montón de palos y en una tarde construyó su casa.

El lobo fue también a visitarle.

—¡Pom, pom! —llamó a la puerta.

—¿Quién es? —preguntó el cerdito.

—Soy tu amigo el lobo. ¿Me dejas pasar?

—¡No, que me comerás! —contestó el cerdito.

Pero el lobo sopló y resopló, la casa derribó y al cerdito se comió.

El tercer cerdito buscó ladrillos para construir su casa y al cabo de una semana la tenía totalmente terminada.

El lobo fue a visitarle, pero el cerdito no le dejó pasar. El lobo sopló y resopló... pero esta vez la casa no la derribó.

Al no conseguir nada, el lobo ideó otra estrategia: ¡entraría en la casa por la chimenea!

El cerdito, que además de trabajador era muy listo, encendió rápidamente el fuego y colocó un gran puchero. Cuando el lobo bajó por la chimenea, cayó dentro del puchero y murió asado.

A partir de entonces el cerdito vivió feliz y tranquilo sin nadie que le molestara.

Blancanieves

La reina de un lejano país bordaba mientras fuera cía la nieve. De pronto se pinchó con la aguja en un dedo. Al ver la sangre, la reina pronunció un deseo:

—¡Oh, cuánto me gustaría tener una hija de piel tan blanca como la nieve y labios y mejillas rojos como la sangre!

Después de un año, fue madre de una niña preciosa a la que llamó Blancanieves.

Pero al poco tiempo la reina murió aquejada de una extraña enfermedad.

El rey se volvió a casar con una mujer guapa pero muy presumida, que tenía un espejo mágico al que preguntaba sin cesar:

—Espejito mágico ¿quién es la mujer más bella de este reino?

El espejo, aburrido, siempre contestaba:

—Tú, mi reina, eres la más bella.

Pasaron los años y un día la soberana preguntó a su espejo, como siempre. Éste contestó:

—Blancanieves es ahora la más bella.

La reina se puso verde, amarilla… y ordenó a un cazador que llevara a la joven Blancanieves al bosque, la matara y le llevara su corazón como prueba.

La niña suplicó
al cazador que la dejara
con vida. Él sintió lástima
y la dejó marchar.

Le llevó a la
reina el corazón de un
cervatillo y ésta se alegró mucho.
Blancanieves, andando por el bosque,
encontró una casita con siete camitas,
siete platitos, siete sillitas… Allí vivían siete
enanitos totalmente encantadores.

 La jovencita les contó su historia y en ese momento entró a formar parte de la familia de los enanitos, quienes se sentían muy felices de tenerla a su lado.

Pasó el tiempo y un día la reina volvió a preguntarle al espejo:

—Espejito, espejito mágico, ¿quién es la mujer más bella de este reino?

—Blancanieves, que vive en el bosque con los enanitos, es la más bella.

Furiosa, buscó un disfraz, una cesta llena de peines y se dirigió hacia al bosque

—¿Qué desea? —le dijo Blancanieves.

—Vendo peines, ¿no querrías uno? —respondió la falsa vendedora.

—No, gracias. No necesito peines —contestó Blancanieves.

La mujer insistió y clavó un peine envenenado en la cabeza de la niña, que cayó al suelo sin sentido.

Cuando regresaron los enanitos le quitaron el peine con cuidado y Blancanieves despertó.

La reina volvió a consultar a su espejo y éste le dijo que Blancanieves seguía siendo la más bella. Entonces cogió unas manzanas envenenadas y se dirigió a la casa de los enanitos.

—¿Quieres manzanas, preciosa niña? —dijo la reina.

—No puedo aceptar nada de extraños —contestó Blancanieves desconfiando de la falsa frutera.

Pero la reina insistió. La niña probó un bocado y cayó muerta en el suelo.

Al regresar los enanitos y encontrarla muerta, lloraron mucho. Fabricaron una caja de cristal y la llevaron al bosque.

Y sucedió que pasó por allí un apuesto príncipe que, al verla, quedó prendado de su belleza y pidió a los enanitos que le dejaran llevarla a su palacio. En el camino, el príncipe dio un beso a la joven y entonces Blancanieves abrió los ojos.

El príncipe le propuso hacerla su esposa y Blancanieves aceptó encantada.

La madrastra de Blancanieves preguntó de nuevo al espejo:

—Querido espejito mágico, ¿quién es la mujer más bella de este reino?

—La princesa que se casará hoy con el príncipe es la mujer más bella de todas las mujeres —contestó de nuevo el espejo.

—¡Rayos y truenos! —rabió la reina.

Se celebró la boda y Blancanieves fue muy feliz junto a su cariñoso esposo.

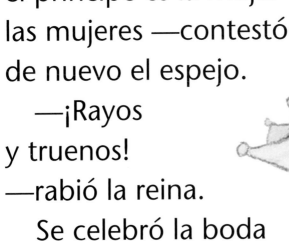

La Cenicienta

Érase una vez un hombre que, al morir su esposa, se había vuelto a casar con una mujer orgullosa y mala que tenía dos hijas tan orgullosas y malas como ella.

El viudo tenía además una hija que era bella, dulce y cariñosa y a la que, por envidia, trataban como si fuera la sirvienta.

Fregaba, lavaba, hacía la comida, limpiaba, planchaba…

Y mientras sus hermanastras lucían lujosos trajes, ella llevaba vestidos harapientos.

Por la noche le gustaba acercarse a la chimenea y junto a las cenizas recordar a su dulce madre. Por eso su madrastra y hermanastras la llamaban «Cenicienta».

Por aquellos días, el rey invitó a todas las jóvenes distinguidas del reino a un baile en palacio.

Como sus hermanastras iban a ir a la fiesta, la pobre Cenicienta corría de un lado a otro limpiando, fregando y además ayudando a sus hermanas a vestirse y a peinarse.

Cuando se marcharon a palacio, Cenicienta se quedó sola y triste en casa porque a ella también le hubiera gustado asistir a ese baile. De pronto, se le apareció su hada madrina, y en un abrir y cerrar de ojos convirtió una calabaza en un majestuoso carruaje, con un elegante cochero y lacayos que le aguardaban a la puerta de la casa. A Cenicienta la vistió muy bonita.

—¡Gracias, hada madrina, esto es un sueño! —dijo Cenicienta impresionada.

—No olvides que debes volver a casa antes de las doce de la noche —advirtió el hada.

Cuando Cenicienta llegó al baile, el príncipe no dejó de mirarla y bailó con ella toda la noche. Tan feliz y enamorada estaba Cenicienta que había olvidado mirar el reloj y, de pronto, comenzaron a sonar las doce campanadas.

Cenicienta huyó sin despedirse y el
príncipe salió tras ella, pero sólo encontró
uno de sus zapatos de cristal.

Al día siguiente el rey mandó un
emisario anunciando que el príncipe
se casaría con la dueña de aquel zapatito
de cristal. Y se lo probaron princesas,
marquesas, duquesas,
toda la corte...

Las hermanastras
de Cenicienta
también se
lo probaron,
pero no
lograron
que sus
pies
entraran
en el
zapato
de cristal.

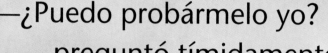

—¿Puedo probármelo yo? —preguntó tímidamente la joven Cenicienta.

—Por supuesto que puede hacerlo —respondió el emisario del rey mientras le ponía cuidadosamente el zapatito.

Y ante el asombro de todos, el pie entró sin esfuerzo en el zapato. Entonces Cenicienta sacó de su bolsillo el otro zapato y se lo puso.

De pronto volvió a aparecer su hada madrina y, despertando la envidia de todas las demás, la vistió elegantemente con preciosos y lujosos vestidos.

Sus hermanastras y su madrastra, arrepentidas, le pidieron perdón por los malos tratos que siempre le habían dado.

Y Cenicienta,
que tenía un buen
corazón, las perdonó.
Se casó con el príncipe y
fueron
muy
felices.

Juan y las habichuelas mágicas

En una pequeña cabaña del bosque vivían Juan y su madre, una pobre mujer que, desde que murió su marido, tuvo que hacer grandes esfuerzos para sacar a su hijo adelante.

Como eran pobres, la madre decidió vender lo único que les quedaba: su vaca.

—Juan, mañana irás al mercado y venderás la vaca —dijo la madre tristemente.

De camino a la ciudad Juan encontró a un hombre que llevaba un saquito de habichuelas que aseguraba que eran mágicas.

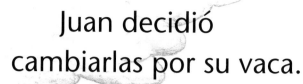

Juan decidió
cambiarlas por su vaca.
Cuando volvió a casa y se
lo contó a su madre, ésta le
dijo lamentándose:

—¡Ay, hijo mío! ¿Has
cambiado una vaca por
cinco habichuelas?

La mujer las arrojó por
la ventana llena de rabia.

A la mañana siguiente,
Juan vio asombrado que
las habichuelas habían
crecido tanto que se
habían convertido en
enormes plantas de las
que no se llegaba a ver
el final.

Trepó por ellas y en lo alto encontró a una anciana que le contó:

—A tu padre le mató el ogro que vive en ese castillo para arrebatarle su fortuna y por eso desde entonces pasáis calamidades.

El chiquillo entró en el castillo del ogro.

Esperó a la noche. Cuando llegó el ogro, vio cómo cenaba doce pollos y se bebía doce jarras de buen vino.

Al terminar, el ogro le pidió a su mujer que le trajera la gallina de los huevos de oro. La gallina puso un huevo gigante y, al rato, el ogro se quedó profundamente dormido.

Juan cogió sigilosamente la gallina, salió del castillo y bajó por las plantas maravillosas a gran velocidad hasta llegar a su casa.

Gracias a la gallina de los huevos de oro, ni el muchacho ni su madre volvieron a pasar hambre.

Vivían contentos, pero Juan, que no se había quedado satisfecho, volvió a trepar por las plantas y llegó hasta el castillo. Hizo que el ogro le siguiera y entonces le pidió a su madre que le trajera el hacha. Empezó a dar hachazos a las plantas.

Al caer, éstas
lanzaron al malvado
ogro al mar y allí se ahogó.

Desde entonces Juan y su madre vivieron
felices durante el resto de sus días.

El príncipe sapo

En un maravilloso castillo vivía un rey con sus tres hijas. La menor era tan bella que dicen que el sol se embobaba cada mañana al verla. Solía ir a pasear a un bosque junto a palacio. Y allí jugaba con su juguete preferido: una bola de oro que lanzaba al aire y luego recogía entre sus manos una y otra vez. De repente, la bola se le resbaló y cayó en un profundo y oscuro pozo.

La princesa estaba tan disgustada llorando que no se dio cuenta de la presencia de un sapo.

—No llores, princesa, yo puedo sacar la bola del pozo —le sorprendió el sapo.

La princesa dejó de llorar y miró atentamente al animal diciendo:

—¿Serías capaz de hacer eso por mí?

—Bajaré al fondo del pozo y traeré la bola si después me conviertes en tu compañero y no te separas de mí ni un segundo —contestó el sapo.

—De acuerdo —dijo la niña.

El sapo dio un salto, se introdujo en las aguas y al poco rato apareció con la bola de oro entre sus manos.

Se la dio a la princesa
y ésta la cogió y echó
a correr rápidamente
hacia el palacio.
Mientras tanto
el sapo, indignado,
gritaba:

—¡Espera, princesa, tienes que cumplir
tu palabra!

Como no le hizo caso, el sapo acudió
a palacio a buscarla. El rey pidió que le
explicaran lo que ocurría y le dijo a su hija
que una princesa debía cumplir siempre
sus promesas. Y, a pesar del enfado de la
niña, mandó pasar al sapo.

Éste fue saltando a comer del plato
de la princesa y, sin separarse de ella,
la acompañó hasta sus aposentos.

Ya en la habitación, la princesa cogió
al sapo y lo lanzó contra la pared.
Entonces, el asqueroso sapo se convirtió
en un apuesto príncipe que le sonrió y se
mostró muy agradecido por haber roto
el hechizo de una malvada bruja.

Ni que decir tiene que la princesa se
enamoró del príncipe al instante y él de ella.

Al día siguiente llegó una impresionante
carroza al palacio tirada por ocho caballos.
Se casaron y fueron muy felices.

El banquete de bodas de la princesa

Érase una vez un rey que tenía dos hijas que eran muy listas y a las que un día preguntó:

—¿Cuál es la cosa más dulce del mundo?

La mayor contestó rápidamente:

—¡El azúcar!

La hija menor, con la misma rapidez que su hermana, respondió:

—¡La sal!

El padre volvió a repetir la pregunta a su hija menor, pero ésta respondió de nuevo:

—Sí, padre, la cosa más dulce de este mundo es la sal.

El padre pensó que su hija le estaba faltando al respeto, que intentaba burlarse.

Se enfadó muchísimo y, después de una gran discusión, le dijo:

—Si eres tan tonta que crees que la cosa más dulce del mundo es la sal, no mereces estar en esta casa. ¡Vete! —ordenó el padre.

La hija cogió sus cosas con tristeza y abandonó la casa de su padre.

Anduvo hasta llegar al bosque. Por la noche, ya cansada, se puso a cantar para olvidar su miedo. Un príncipe que volvía de una cacería oyó aquella dulce voz que le cautivó. Se acercó a la joven y se enamoró de ella nada más verla. La llevó a palacio y decidió casarse con ella.

La novia, a pesar de lo ocurrido con el padre, pidió al príncipe que le invitara a su boda, pero que le ocultara quién sería su esposa. En el banquete mandó que algunos de los manjares se sirvieran sin sal.

Los invitados comenzaron a quejarse
y el rey, muy entristecido, tuvo que decir:

—¡Ay, señores míos, la sal es la cosa más
dulce del mundo! Mi querida hija me lo
aseguró una vez y yo, pensando que se
estaba burlando, la eché de mi casa.
Si volviera a verla, le pediría perdón por la
injusticia tan grande que cometí aquel día.

La hija sintió una alegría inmensa,
se levantó el velo que cubría su
rostro y le dio un gran
abrazo a su padre.

El rey se
puso muy
contento
por haber
recuperado
a su hija.

La casita de chocolate

Junto a un bosque vivía un leñador con sus dos hijos, Hansel y Gretel, y la madrastra de éstos, su segunda esposa.

Aunque el leñador trabajaba de sol a sol, la familia pasaba hambre.

Un día la mujer le propuso al leñador abandonar a sus hijos en el bosque para poder sobrevivir.

La madrastra dio un trozo de pan a cada niño y se adentraron en el bosque. Hansel iba echando miguitas de pan para señalar el camino. Después de mucho andar por el bosque, la madrastra les dijo a los niños:

—Quedaos aquí hasta que nosotros volvamos a recogeros.

Cuando llegó la noche, Hansel dijo:

—No te preocupes, hermana mía, las migas de pan nos mostrarán el camino.

Pero los pajarillos se habían comido las migajas de pan y ellos estaban perdidos.

Comenzaron a andar hasta que vieron una casita hecha de chocolate.

Cuando más animados estaban comiendo, se oyó una voz que decía:

—Pasad, pasad, pequeñines.

Y al instante apareció una dulce ancianita que les preparó dos camas limpias y les acostó.

Por la mañana, cuando se despertaron, la amable ancianita se había convertido en una asquerosa bruja que metió a Hansel en una jaula y obligó a Gretel a limpiar, lavar y hacer la comida.

Todos los días la niña preparaba una olla de comida y se la llevaba a su hermano por orden de la bruja, que cada noche se acercaba a la jaula para ver si engordaba: ¡quería comérselo bien rellenito!

Un día la malvada bruja mandó a Gretel encender el horno y asomarse para ver si estaba ya caliente. Gretel le dijo que no sabía encenderlo y la bruja, enfadada, abrió el horno y asomó la cabeza dentro.

Entonces la niña la empujó y cerró con todas sus fuerzas la puerta. Luego, abrió la jaula de su hermano y se marcharon rápidamente de allí.

Llegaron a casa, donde su padre les recibió llorando de alegría y nunca les volvió a abandonar.

Desde aquel día vivieron juntos y muy felices.

El leñador honrado

En una humilde casita del bosque vivía un leñador con su esposa y sus pequeños hijos.

Cada mañana, en cuanto amanecía, el leñador salía de casa, cargado con su vieja hacha, a cortar leña y volvía ya entrada la noche.

Un día mientras andaba cortando leña cerca del río se le escurrió el hacha y se hundió dentro de las aguas.

¡Pobre leñador! Estaba abatido y desesperado.

—¿Qué voy a hacer ahora? —se lamentaba llorando amargamente—. ¿Qué van a comer mis hijos?

De repente apareció entre las aguas una ninfa, que con voz muy dulce le preguntó:

—¿Qué te sucede, buen hombre? ¿Por qué lloras?

—¡Pobre de mí! Se me cayó el hacha al fondo del río. Sin ella no podré trabajar. ¿Cómo se alimentará ahora mi familia? ¡Soy el hombre más desgraciado del mundo!

La ninfa bajó al fondo del río y volvió a salir mostrando al leñador una enorme hacha de oro y le preguntó:

—¿Es ésta tu hacha, pobre leñador?

—No, bella ninfa. Ésa no es mi hacha —contestó él con toda sinceridad.

Nuevamente, la ninfa se perdió entre las aguas y a los pocos instantes apareció con otra hacha, esta vez de plata.

Y volvió a preguntar:

—¿Es ésta tu hacha?

—No, tampoco es ésa mi hacha —repuso el leñador.

Otra vez la ninfa volvió a sumergirse en el río y sacó una vieja y gastada hacha de acero.

—¡Ésa es mi hacha! ¡Qué feliz me siento! ¡Gracias! ¡Gracias! —gritó el leñador, saltando de alegría.

La ninfa, al ver la sinceridad y honradez de aquel pobre hombre, le dijo:

—Has dicho la verdad, aunque pasas necesidades. Por esta razón te voy a regalar estas dos hachas, de oro y plata, que te ayudarán a vivir mejor.

—¡Gracias, ninfa! Nunca podré agradecerte lo suficiente todo lo que has hecho por mí y mi familia.

El leñador metió las tres hachas en su viejo saco y regresó a su casa cantando de felicidad. Por el camino se encontró a un vecino suyo y le contó lo que le había sucedido. Este hombre, que era un vago y un avaricioso, fue a su casa, cogió un hacha vieja y se dirigió al río. Una vez allí, tiró el hacha al agua y comenzó a llorar.

Enseguida salió la ninfa y le preguntó qué le sucedía, a lo que el hombre contestó:

—Se me ha caído el hacha
al fondo del río y ya no puedo
trabajar. ¡Qué desgraciado soy!
¿Qué va a ser de mí?

La ninfa se sumergió en las
aguas y salió con un hacha de
oro y le preguntó:

—¿Es ésta tu hacha?

—Sí, ésa es la mía
—contestó el avaro.

—Te equivocas —aseguró
la ninfa—. Ésta es la mía.
La tuya está ahí en el fondo.
Si quieres recuperarla, zambúllete,
a ver si lo consigues tú solo.

Y diciendo estas palabras, la ninfa
desapareció entre las aguas.

El muchacho héroe

Hace muchos años, vivía en Holanda
un chico que se llamaba Juan.
Un día, su madre le mandó que llevase
a casa de su abuelita unos quesos.

Cuando volvía a casa pasó por los
diques y recordó lo que su
padre un día le explicó
sobre ellos:

«Los diques son muros de piedra
que sirven para que el mar no entre
en la ciudad y la inunde».

De pronto, Juan escuchó un fuerte
ruido de agua. Se acercó al dique y vio
que había una grieta en el muro
y que el agua entraba con gran fuerza.
Metió con rapidez una de sus manos para
tapar el agujero, pero no era suficiente
y entonces metió las dos. Pidió auxilio,
pero con el ruido del mar nadie le oyó.

Pasaron las horas y Juan, sin sacar
las manos del hueco y helado de frío,
se mantuvo valientemente allí.

A la mañana siguiente unos vecinos
le socorrieron y arreglaron la grieta.

Juan fue llevado a la ciudad a hombros
y condecorado como héroe por valiente.

Riquete el del copete

Érase una vez una reina que tuvo un niño feo y contrahecho que tenía un copete de pelos en la cabeza y al que todos llamaron «Riquete el del copete». El día que nació, un hada dijo que sería muy inteligente y que además podría dar tanta inteligencia como él tenía a la persona que él más quisiera.

Años más tarde, la reina de otro país tuvo dos niñas mellizas. Una era muy bella y la otra tremendamente fea. La misma hada dijo que la primera no tendría inteligencia, pero podría dar tanta belleza como poseía a la persona que ella amara. Sin embargo, la segunda sería muy inteligente y nadie vería su fealdad.

Un día la hermana mayor estaba muy triste y se fue al bosque a llorar. Allí se le acercó un joven horriblemente feo. Era el príncipe Riquete. Le preguntó por qué estaba tan triste y ella le dijo que prefería ser tan fea como él, con tal de poseer inteligencia.

—No os apenéis. Yo os puedo dar el poder de ser inteligente —dijo Riquete—, siempre que queráis casaros conmigo.

Riquete le dio de plazo un año para pensarlo, pero ella, como tenía la «cabeza hueca», no se detuvo a pensar y dijo que sí, que se casaría con él al cabo de un año.

Desde ese momento la princesa además de bella empezó a ser inteligente y tuvo muchas proposiciones de matrimonio.

Un día llegó un apuesto príncipe que cautivó su corazón. Antes de darle el «sí», se fue a meditar su decisión al bosque. Allí se encontró con treinta cocineros que elaboraban exquisitos manjares. Cuando les preguntó por qué preparaban un banquete, le respondieron:

—Mañana se celebrará la boda del hijo de nuestro rey, el príncipe Riquete el del copete —contestó un cocinero.

La princesa, que había olvidado por completo la promesa que había realizado un año atrás, al oír pronunciar aquel nombre lo recordó todo.

Y en aquel mismo
instante, apareció
ante sus ojos Riquete
elegantemente vestido,
quien, haciendo una
reverencia, la saludó así:

—Veo que no habéis olvidado vuestra
promesa. Una princesa siempre cumple
su palabra. ¿Os casaréis conmigo?

—Sí, porque he visto que tenéis
inteligencia, educación, amabilidad,
sinceridad… Seré muy feliz con vos
—respondió la joven muy convencida.

La princesa, al amarlo, olvidó su fealdad
exterior y sólo vio su belleza interior.

Al día siguiente se celebró la boda,
a la que asistieron muchos invitados.

El viejo y el asno

Un hombre de avanzada edad y su hijo iban camino del mercado a vender su asno. Como el animal estaba débil y viejo decidieron ir a pie, para no cansarlo y poder venderlo a mejor precio.

Al salir de su casa se encontraron a unas mujeres que al verlos dijeron:

—¡Vaya pareja de tontos! Tienen un burro y van andando. ¡Ja, ja, ja!

Al oír estas palabras, el padre mandó a su hijo que se subiera encima del animal. Al rato pasaron delante de un grupo de ancianos y, al ver la escena, comentaron:

—¿Dónde se ha visto que el hijo, joven y fuerte, vaya montado encima del animal y el padre, cansado, vaya caminando?

El padre se
avergonzó al
escucharles
y decidió que el hijo fuera
andando y él sobre el asno.

Más adelante pasaron
junto a unos niños que jugaban.

Al verles pasar, increparon al padre:

—¿No le da vergüenza ir sentado y que su pobre hijito vaya andando?

El padre, de nuevo avergonzado y sin saber qué hacer, le dijo a su hijo que se subiera junto a él encima del burro.

Andando y andando se cruzaron con un campesino que, al observarlos con detenimiento, exclamó muy furioso:

—¿A quién se le ocurre que un asno como éste, viejo y débil, pueda aguantar el peso de dos personas? Tanto el padre como el hijo agacharon la cabeza con vergüenza y no dijeron ni una palabra.

Y sin decir
nada decidieron
cargar el asno
sobre sus
hombros en
dirección al mercado.
Cuando ya estaban

llegando, un grupo de gente les dijo:

—¡Vaya par de bobos! Mira que cargar
con el peso del burro…

Al pasar sobre un puente se montó un
gran alboroto. El burro se asustó y, dando
un impulso grande, cayó al río y se ahogó.

El viejo comprendió entonces que había
perdido a su burro por haber querido
complacer a todos.

Se puede ser complaciente sin renunciar
a la propia opinión.

Aladino y la lámpara maravillosa

H ace mucho tiempo que en una ciudad de Oriente vivía un humilde sastre llamado Mustafá junto a su buena mujer y su hijo Aladino.

Cuando su padre murió, Aladino tenía quince años. Su madre vendió el taller y compró algodón para hilar y así poder vivir los dos.

Un día, un mago llegado de África se acercó al muchacho y, fingiendo conocerle, le preguntó:

—Si no me equivoco, tú debes de ser el hijo del sastre Mustafá, ¿no?

—Sí, señor —contestó Aladino—, pero mi padre ha muerto.

—¡Pobre hermano mío! Llévale a tu madre esta bolsa de monedas de oro y dile que mañana pasaré a visitaros.

El muchacho contó a su madre lo sucedido y la mujer, extrañada, guardó las monedas diciendo:

—No sabía que mi esposo tuviera hermanos…

93

Al día siguiente, el falso tío fue a casa de Aladino y les dijo que era el hermano de Mustafá y que venía para ayudarles.

—Deseo que mi sobrino me acompañe a un recado —le pidió a la madre.

Aladino se fue con él caminando hasta llegar al campo, entre dos montañas. Allí hicieron una hoguera, el mago echó unos polvos al fuego y apareció una piedra inmensa con una gran anilla de bronce.

—Tira de la anilla y levanta la piedra —ordenó el mago—. Debajo hay un tesoro.

Aladino cumplió sus órdenes y, mientras bajaba por unas escaleras, el hombre siguió:

—Al final del corredor encontrarás grandes tesoros, pero no toques nada porque morirías.

Sigue hasta que veas una puerta negra.
Detrás hay una lámpara. Cógela con
mucho cuidado y tráela. Llévate este anillo
mágico que te protegerá
de todo mal.

Al salir de la cueva, el hombre
le pidió la lámpara y el astuto
Aladino, sospechando que
era una trampa, no se la dio.
El mago dijo unas extrañas palabras
y la losa se cerró dejando dentro
a Aladino. Y allí permaneció atrapado
hasta que, al frotar sus manos sin querer,
rozó el anillo y apareció un genio.

—Pide lo que quieras —le dijo.

—¡Sácame de aquí cuanto antes!

Al instante, el muchacho salió de la
cueva y regresó a su casa. Sacó la lámpara
y, sin darse cuenta, la rozó. Y entonces
apareció un hombre que le dijo:

—¿Qué deseáis, señor?

—Tráenos ropa y algo
de comer —dijo Aladino.

En el momento
aparecieron sobre
la mesa deliciosos
manjares en bandejas
de plata y oro
y elegantes ropajes.

Y así, con
la ayuda de la
lámpara
maravillosa, Aladino
y su madre
vivieron
muchos
años
sin
volver
a pasar
calamidades.

Un día Aladino conoció a la bella hija del rey Alaín y se enamoró de ella. Con la ayuda de la lámpara, pudo ofrecer grandes tesoros al rey y éste le concedió la mano de su hija encantado. Se casaron y vivían muy felices en su gran palacio.

Pero un día el falso tío volvió a la ciudad para vengarse. Se disfrazó de mercader y consiguió que la princesa le vendiese la lámpara maravillosa.

La frotó y le dijo al genio:

—Quiero que a mí y a este palacio nos lleves muy lejos.

Y el palacio desapareció.

Al enterarse, Aladino frotó el anillo encantado y pidió:

—Deseo que me lleves a mi palacio.

Entonces Aladino volvió a sus aposentos, ató al supuesto tío y siguió pidiendo:

—También quiero que lleves a este mal hombre a un país de donde no pueda salir y que lleves este palacio al lugar donde siempre estuvo.

Se cumplieron sus deseos y vivió muy feliz con la princesa.

Los cinco guisantes

Había una vez cinco guisantes en una misma vaina que se preguntaban:

—¿Tendremos que pasarnos toda la vida aquí metidos?

A las pocas semanas notaron una gran sacudida. Un niño había arrancado y abierto la vaina y, metiéndola en su bolsillo, exclamó muy contento:

—Son unos guisantes estupendos para mi tirachinas.

Los guisantes se preguntaban qué sería de ellos. Mientras que el niño los lanzaba al viento, ellos formulaban uno a uno sus deseos: «Volar hasta el sol, cruzar el ancho mar, recorrer el mundo, atravesar las nubes…».

El último guisante, antes de ser lanzado
y conformándose con su destino, dijo:

—Que suceda lo que tenga que suceder.

Y fue a caer en la ventana de una
buhardilla. Allí se quedó metido

en una
grieta en
la que había
un poco
de musgo.

En esa buhardilla vivía una mujer pobre y trabajadora con su hija enferma.

Era primavera y un rayo de sol brillaba a través de la ventana. La niña miró hacia fuera preguntando:

—¿Qué es esa cosa verde que asoma por el cristal y se mueve?

La madre exclamó asombrada:

—¡Una planta! Te acercaré la cama a la ventana y así podrás verla crecer.

Desde aquel día la madre notó que su hija estaba más animada y que sus mejillas tenían un color mucho más sonrosado.

—Mamá, me voy a recuperar —decía. El día que apareció la flor de color rosado del guisante, la niña saltó de alegría. Por fin estaba curada. La madre, al verla, exclamó emocionada:

—No sé quién habrá traído aquí este
guisante, pero ha devuelto la alegría
y la esperanza a esta casa.

El adivino Grillo

En un lejano país vivía un rey con su criada, su cocinera y su ama de llaves. Un día, las mujeres le robaron su mejor anillo.

El monarca tenía mucho interés en recuperarlo y mandó un emisario para que recorriera las calles de su reino buscando un adivino.

Un pobre marinero que lo oyó, aunque no tenía cualidades adivinatorias, decidió presentarse al rey para ese puesto.

«Así podré comer bien», pensó.

El rey lo aceptó al instante y mandó que le dieran de desayunar.

El marinero, al que todos llamaban Grillo, estaba contentísimo. ¡Por fin iba a tener tres comidas diarias!

Estaba pensando en ello cuando la criada le trajo el desayuno. Al verla llegar, exclamó entusiasmado:

—¡Aquí viene la primera!

Al oírle, la criada pensó que la había descubierto y fue aterrorizada a contárselo a sus otras dos cómplices.

Estaba Grillo en el jardín, cuando apareció el ama de llaves y le sirvió la comida. Al verla, el marinero dijo:

—¡Aquí viene la segunda!

Ésta, al oírle, salió corriendo espantada pensando en la que se les venía encima.

Anocheció y vino la cocinera para servirle la cena. Grillo, al verla entrar, añadió cada vez más contento:

—¡Y aquí está la tercera!

La mujer salió corriendo a reunirse con
sus compañeras, quienes, pensando que
habían sido descubiertas, fueron a la
alcoba de Grillo y le dijeron que estaban
arrepentidas de haber robado el anillo
del rey y que le darían cincuenta monedas
de oro si no se lo contaba a nadie.

Lo que no podían imaginar las sirvientas ladronas era que cuando Grillo decía «aquí viene la primera, la segunda y la tercera» se refería a la primera, a la segunda y a la tercera comida del día, ¡y no a ellas!

El marinero, que era muy inteligente, aprovechó el equívoco y aceptó las monedas de oro de las sirvientas sin decir nada. Después eligió un pavo que tenían en los corrales de palacio y mandó a las mujeres que le hicieran comer el anillo.

A la mañana siguiente, cuando el monarca le preguntó si sabía ya dónde estaba el anillo, Grillo respondió:

—Matad a ese pavo y encontraréis dentro vuestro anillo, majestad.

El rey mandó a un sirviente
que lo matase. Cuando vio
aparecer el anillo dentro
del cuerpo del animal,
el soberano colmó
de regalos a Grillo e hizo
una gran fiesta
en su
honor.

Entonces uno de los invitados le preguntó al monarca si su adivino podía decirle lo que guardaba en su mano.

El rey mandó llamar al marinero y le pidió que adivinase lo que había dentro de la mano de aquel invitado. El falso adivino comenzó a temblar de miedo, pensando que recibiría un gran castigo si no lo adivinaba…

—¡Pobre Grillo! —dijo compadeciéndose de sí mismo y dando todo por perdido.

Y el invitado replicó entusiasmado:

—Exactamente, eso es lo que tengo en mi mano, un grillo. ¡Es asombroso!

Después de recibir los aplausos de todo el público allí presente, el rey le nombró adivino de la corte, le dio riquezas y ¡tres buenas comidas al día!

Cuento de hadas

Había una vez un hada que vivía junto a un bosque y tenía la virtud de poder convertirse cada día en aquello que quisiera. Un día era una mariposa de bellos colores, otro día una nube de un precioso color azul, otro era un pececillo, otro día brisa fresca… El hada, que era muy generosa y muy buena, se sentía inmensamente feliz porque podía ayudar a los demás y hacerles la vida más agradable. Pero un día, únicamente un día al año, esta hada dulce y buena debía convertirse en una culebra, y esto no le gustaba nada.

Aquella noche apenas pudo dormir, no dejaba de pensar en que al día siguiente se convertiría en culebra durante veinticuatro horas.

Recordaba apenada lo que le había sucedido años anteriores.

113

Apenas amaneció, el hada era ya una repugnante culebra. Iba reptando y no tardó en verla un campesino que comenzó a golpearla con el azadón y que, creyendo que la había matado, se alejó tranquilamente del lugar.

Con todo el cuerpo dolorido y apenas sin aliento, siguió andando y unos chicos empezaron a tirarle piedras, mientras unas mujeres la insultaban a gritos.

—¡Ya no puedo más! ¡Esto es insoportable! —exclamó angustiada el hada mientras se paraba a descansar bajo la sombra de un árbol.

Cuando abrió los ojos pudo comprobar que, junto a ella, estaba sentado un niño.

—¡Pobre niño! —pensó el hada al comprobar que el muchacho estaba enfermo.

Sin recordar que tenía forma de serpiente, se acercó a él. El niño enfermo, al verla con tantas heridas, sintió lástima de ella y la acarició.

El hada sintió que el cariño del niño había aliviado su dolor y ella quería hacer lo mismo por él. A partir de ese día, el enfermito estuvo rodeado de niños que le dieron su cariño, de hermosas mariposas que revoloteaban a su lado, de cantos de pajarillos que le animaban a levantarse cada mañana, de brisas frescas…

Y gracias a todos esos cuidados, el niño, que había estado enfermo desde que nació, se curó en pocos meses.

Perlas y culebras

Había una vez una mujer que tenía dos hijas. Segismunda, la mayor, era antipática y egoísta. En cambio, Florentina, la hija menor, era simpática y generosa.

Su madre y su hermana le tenían envidia y la trataban mal. Siempre fregaba, hacía la comida y bajaba al pozo a por agua.

Un día se encontró con una anciana en la fuente que le pidió agua para beber.

—Con mucho gusto —respondió la chica sonriendo—. Y ojalá que le siente bien y le cure todos sus achaques.

Se emocionó la anciana, que resultó ser un hada disfrazada, por la simpatía y la gran bondad de la niña.

Le tocó la cabeza con su viejo bastón diciéndole:

—Por tu bondad te concedo un don: que siempre que lo desees, salgan de tu boca perlas valiosísimas.

Florentina volvió a su casa y contó lo sucedido a su madre y a su hermana. Pero ellas no la creyeron hasta que vieron cómo salían de su boca un montón de maravillosas perlas.

Entonces la madre, rabiosa de envidia, le dijo a su hija Segismunda:

—Baja al pozo y dale a la vieja esa toda el agua que te pida. Así tú y yo nos haremos millonarias.

Cuando Segismunda llegó al pozo, sólo encontró a una niña andrajosa que le dijo:

—¿Me puedes dar algo de beber?

—Búscate la vida, niña idiota —respondió Segismunda, furiosa por no haber encontrado a la vieja hada.

Entonces la niña se alejó diciendo:

—Tienes mal genio y peor corazón, así que te mereces el don secreto que voy a concederte…

Segismunda se fue sin terminar de escucharla y, enfadada, le tiró un cubo de agua encima, aunque no le dio porque la niña ya había desaparecido.

A partir de entonces, cada vez que Segismunda abría la boca para insultar a alguien, salían de su boca sapos y culebras de verdad.

¡Le estaba bien empleado!

El palacio encantado

En los tiempos de Maricastaña, dos hermanos muy ambiciosos, Pedro y María, decidieron dejar su casa y vivir en un palacio encantado.

Una mañana muy tempranito salieron por los campos en busca del palacio de sus sueños.

Cuando era casi la hora de comer, el señor Zorro se les acercó y les dijo:

—Os invito a mi cueva, que es un palacio de verdad.

No le hicieron caso y siguieron andando en busca del palacio encantado.

De pronto, apareció el señor Oso:

—Yo sé dónde está
el palacio que
buscáis,
en el
hueco de
este árbol.
Ése es mi
palacio.

Pedro y María se marcharon sin escuchar.

Agotados de andar, se sentaron bajo un árbol y se quedaron dormidos.

De repente, sonó un suave tintineo y apareció el hada Alegría:

—Vamos, niños, despertad. Aquí está vuestro palacio encantado.

Abrieron sus cansados ojitos y ante ellos estaba su casita, la de siempre. En la puerta se encontraban, esperándoles con los brazos abiertos, sus queridos padres. Fueron corriendo a abrazarles y se dieron cuenta de que todo había sido un sueño.

Desde aquel momento, su casita les pareció, igual que al zorro y al oso, el mejor de todos los palacios del mundo. Y colorín, colorado…